PETITE BIBLIOTHÈQUE ILLUSTRÉE

# La Poule et son renard

Écrit et illustré par Peta Coplans

MÉTAGRAM

Un jour, une poule entra chez un marchand
d'animaux domestiques.
– Puis-je vous aider ? demanda un cochon
derrière son comptoir.

4

– J'aimerais acheter un animal de compagnie,
dit la poule.

Le marchand proposa :
– Que diriez-vous d'une souris ?
De petite taille, tranquille,
c'est l'animal de compagnie IDÉAL.
– Non non, dit la poule, une souris
ça couine tout le temps !

Hi, hi,
hiiiiiiiiii !!!

– Et pourquoi pas un lapin ? demanda le cochon.
Les lapins ne couinent pas et sont de tendres animaux.
– Non non, refusa la poule, un lapin ça ne va pas du tout.
Mais... c'est quoi là-bas ?

Le cochon se gratta le menton :
– ÇA ! c'est un renard.
– Je le prends, dit la poule,
c'est exactement
ce que je cherche.

– Mais elle est folle, marmonna le cochon,
elle est tombée sur la tête ! Puis il proposa :
Est-ce que je vous l'emballe, Madame ?
– Non merci, dit la poule, nous rentrons à la maison.

9

La poule paya, prit le renard par la patte et tous
deux s'en allèrent.

Ils avaient à peine marché que le renard s'assit sur un banc.

– J'ai soif, soupira-t-il. Les renards doivent boire beaucoup de limonade.

– Ah bon ! s'étonna la poule, je ne savais pas. Je te préparerai de la limonade dès que nous arriverons à la maison.

Un peu plus tard, le renard s'arrêta encore :
– Il faut que je me repose, dit-il.
Les renards se fatiguent vite.
– Ah bon ! J'ignorais cela, dit la poule.

Alors elle proposa :
– Assieds-toi dans mon caddie,
je vais te pousser.

Lorqu'ils arrivèrent à la maison,
la poule était fatiguée et elle avait chaud.

14

Elle prépara un pichet de limonade
mais le renard le but tout entier avant même
que la poule ne pût se servir un verre.

Maintenant, le renard avait très faim.
– Où est la tarte, demanda-t-il ?
– La tarte ! dit la poule étonnée.
Les renards mangent des tartes !
– Les renards adorent les tartes ! dit le gourmand.
Tu sais faire la pâte ?
– Bien-sûr, dit la poule.
– Alors dépêche-toi, ajouta le renard,
je meurs de faim !

– Nous les poules, on adore aussi les tartes.
Tarte aux pommes, aux mûres...
ma préferée est celle aux vers de terre.
Et toi ? Quelles tartes aimes-tu ?

– Tu vas voir, dit le renard, c'est une surprise !
Il étala la pâte dans un moule et y jetta quelques
champignons en lamelles.

– ÇA c'est intéressant, dit la poule, et ensuite ?

– Ensuite, reprit le renard, il me faut une gentille petite poule bien dodue et pas trop intelligente.
– Mais... c'est moi ÇA ! dit la poule.
Je suis gentille, dodue, et pas trop intelligente.

– Et bien, dit le renard, qu'attends-tu ? Saute !

– Mon Dieu ! s'écria la poule,
mais tu es en train de préparer
une tourte à la volaille !
Je comprends maintenant !!!

La poule assoma le renard à grands coups
de casserole, le jeta dans le caddie,
et elle retourna d'un pas décidé
chez le marchand d'animaux.

– Vous aviez raison, dit la poule au cochon.
Je ne veux absolument pas d'un renard.

– Bien, bien, dit le cochon.
Voyez-vous autre chose que vous aimeriez ?

24

– Celui-là, tout au fond, dit la poule.
C'est exactement l'animal qu'il me faut.
Vous me l'emballez, s'il vous plaît !
– Tout ce que vous voudrez, dit le cochon...

... tandis qu'il emballait le crocodile.

# DANS LA MÊME COLLECTION

## Dès 3 ans

# Dès 6 ans